国家出版基金项目
NATIONAL PUBLICATION FOUNDATION

《三联经典文库》

第二辑

2012年国家出版基金项目

三联经典文库

115

东线的撤退

胡兰畦　等著

生活·讀書·新知 三联书店

图书在版编目(CIP)数据

东线的撤退 / 胡兰畦等著. -- 北京 : 生活·读书·新知三联书店, 2014.1
（三联经典文库第二辑）
ISBN 978-7-108-04647-5

Ⅰ. ①东… Ⅱ. ①胡… Ⅲ. ①散文集 – 中国 – 当代 Ⅳ. ①I267

中国版本图书馆CIP数据核字(2013)第252729号

115 东线的撤退

责任编辑 龚黔兰
封扉设计 蔡立国
责任印制 徐 方
出版发行 生活·讀書·新知 三联书店
(北京市东城区美术馆东街22号)
邮 编 100010
经 销 新华书店
印 刷 北京市松源印刷有限公司
版 次 2014年1月北京第1版 2014年1月北京第1次印刷
开 本 787毫米×1092毫米 1/32 印张 3.75
字 数 48千字
定 价 14.00元

《三联经典文库》出版缘起

适逢生活·读书·新知三联书店八十华诞，为弘扬传统，接续文脉，回报读者，服务社会，我们决定策划出版《三联经典文库》。

1932 年 7 月，生活书店在上海创办，此后，读书出版社和新知书店相继成立。本文库第一辑、第二辑所选图书，来自于这三家出版单位及其分支机构，以及 1948 年生活·读书·新知三联书店成立后的出版物，始于 1932 年，截至 1951 年，两辑各一百种。此为第二辑，涉及政治、经济、社会、军事、思想文化诸领域，涵盖专著、文集、散文、小说、诗歌、传记、报道等体裁，既有直面现实、追求真理、讴歌真善美、抨击假恶丑的原创作品，又有引介世界各国先进文化、传播新知、开启民智的迻译之作，真实记录了那一代知识分子的思考与探索、理想与愿景和对中华民族文化传承与创新所做出的努力与贡献。

本文库所辑入各书，多为名家名作，在版本方面，以初版一印本或经著译编者审定、修订、增订过的版本为首选，因此本文库又具有较为珍贵的版本价值和收藏价值。

本文库还将编选续辑，使之成为恢弘文化工程。诚挚希望读者给予批评和指正，帮助我们完善编选工作，再现三联经典作品之风采。殊为遗憾的是，由于年代久远，一些原著译编者及其后人未能取得联系并奉付稿酬，诚盼版权所有者与我们联系。祈愿三联前辈所创造的精神财富能薪火相传，为中华文化的伟大复兴增光添彩。

《三联经典文库》编辑委员会

2013 年 8 月

凡　例

一、本文库为重排本，由繁体字竖排版改为简体字横排版。

一、以忠实于原作、整旧如旧为编辑原则，对当时使用的专有名词、外文译名，以及民国时期的语言和特色予以保留。

一、原书注释如旧，编者所出的注释，均以“编者注”标明，以示与原书注释的区别。

一、对原书残缺或字迹漫漶之处，以□示代。

一、对繁简文本转换时的“如右”、“见左”一类，对应改为“如上（前）”、“见下（后）”。

一、对原书中各种错讹脱衍之处，直接订正，不再以其他符号标示。

一、对数字、标点符号的用法，在不损害原文语义的情况下，做必要的规范。

一、本文库各书均前插原书书影、原书版权页和文库版“本书出版说明”。

一、本书出版说明的撰写，以客观中立为原则，扼要介绍本书的内容、版本流转、著译编者的情况。

本书出版说明

本书由《闸北孤军退出记》、《火线上的妇女割谷队》、《模范军人——尹团长》、《告别上海》、《绕行江北》、《感慨过金陵》、《江行杂感》、《上海书简》这几篇文章组成，反映了抗日战争时期，中国军民在东线实行必要的战略撤退的诸多情况：

八百孤军坚守闸北，光复四行仓库与大陆银行仓库，苦撑四昼夜，既掩护了大军退却，又歼灭了许多敌人，之后又全部安全脱险；妇女割谷队，当火线上的人民已撤退时，为了不误秋收的农事，在漆黑的夜晚，面对瑟瑟寒风，愉快地收割稻子，表现了在抗敌的战场上，妇女们挣脱束缚，找寻生命价值的壮举；不乏文学素养、儒者风范的模范军人代表尹团长，身先士卒，上前杀敌，坚定果敢，佳话流传。

本书还揭示，抗日战争，除了胜利地进攻以外，还需要胜利地撤退；但是断然不能讲和，因为中国绝对不会灭亡在日本手里。

本书由生活书店初版于1938年3月，此次出版，即以此为底本。

胡兰畦（1901-1994），四川成都人。1925年大革命时期活跃在广州。后追随国民党左派何香凝，曾在德国投入国际共产主义运动，后被纳粹逮捕入狱，写出了有影响的《在德国女牢中》一书。1934年，作为中国作家代表出席苏联第一次作家代表大会，高尔基赞其“是一个真正的人”，高尔基去世时被选入高尔基治丧委员会，曾为高尔基执绋。1936年底回国，暗中为共产党做了许多事情，但其共产党员资格却被地下组织轻率取缔。1949年后，在北京工业学院从事后勤工作，成了历次政治运动的牺牲品。1978年平反后，恢复党籍，并成为全国政协委员，晚年写出《胡兰畦回忆录》。

生活·读书·新知三联书店

2013年8月

生活书店 1938 年 4 月再版书影

"抗戰中的中國"叢刊之四

東線的撤退

每冊實價國幣二角
外埠酌加郵費

著者 胡蘭畦等

主編者 長江

發行者 生活書店

漢口 上海 廣州 重慶 香港

西安 長沙 桂林 成都 昆明

中華民國二十七年四月再版

原书版权页

目次

闸北孤军退出记

问　津

我军自阵地移动后，独留孤军八百余人，由团副谢晋元，营长杨瑞符指挥，坚守闸北光复孤口四行仓库与大陆银行仓库，苦撑四昼夜，始于昨晨二时许，因奉最高当局命令，全部退入安全地带。这一幕英勇抗战，引起中外注意，记者虽经数日调查，终以有关军事秘密，未便轻于发表。现在我英勇将士已经退出，将在长期抗战中与敌作更壮烈、更伟大、更有效的奋斗！闸北孤军的坚守虽事已过去，但他们在这一“天然堡垒”中的种种活动，却值得我全军将士、全国民众的注意，在今后英勇抗战中实地应用起来，定于抗战前途上有不少的效力。

因为大场一点的突破，十余万大军的阵地，作了战略的后移。实行之初，大家还不免有些怀疑，可是事过几天，大家都没有什么话说了；主要的，因为我们的后撤不单避免了敌人包围的牺牲，而阵地更形巩固了。在长期抗战总结算上没有什么不合算。

同样，闸北孤军因为意志的齐一坚强，行动的敏捷果敢，实际已尽了殿军的责任，使闸北数万主力军获得了掩护，很安全整肃地退出了闸北。我们在一个佯攻之后，行动了一个整夜，敌人都没有察觉，直到天亮才前进。又因为杨营长的坚守，更根本避免了敌人的追击；这是杨营已费尽了掩护退却的责任。

敌人噼啪噼啪地一连攻击了四昼夜，伤亡了百余人，消耗了无量数的弹药，而我们困守的孤军，因为工事的坚固，技术的高明，只有五个人殉国，带伤的也只有三十多人。因为孤军的奋斗，引起了敌人的重视，世界人士的同情，民众热烈的抗敌爱国情绪，这是孤军又一任务的完成。

现在，我们全营归来了！我们相信他们个个人的信念更加强了！歼敌经验更多了！在敌人重重包围中度过了几天，敌人的纸老虎也穿破了！拿这样的奋斗精神，再配以优良的阵地、雄厚的兵力、适当的时机，去对付敌人，那效果比长久死守在这孤悬的有限阵地上好得多。

再，这批勇士回到整个部队以后，极自然的会将他们的实战经验、坚苦精神，传到大批队伍中去，这效果之大，决非公式的政治教育与死板的军事训练所可比拟。

所以，最高领袖命令孤军撤退，是十分正确的；杨营将士完成了重重的任务，然后奉命而安全撤退，更没有什么不圆满的地方。我们民众的热烈鼓励，除希望他们多消灭几个敌人，完成了他们任务以外，未必有人诚心地要看他们演一幕“壮烈牺牲”！而且他们这种始终“服从命令”、“达成任务”的精神，只要能普遍到全军全民，我们的抗战部队像一部灵活的机器地由最高领袖去适当地运用，我们的抗战前途，决没有失败的道理。

记者昨天在细雨蒙蒙的午后，抱着满腔的热诚，到一个医院慰问负实际指挥孤军作战受伤的杨瑞符营长。杨氏面容很消瘦，而精神则出我意料之外的兴奋。

他的伤在小腿部，他让我看时，一只壮健的小腿，在无数层的纱布缠绕中，依他精神的良好，想在短期间可以痊愈的。

我刚刚坐下，就有极浓馥的香气扑来，仔细看看，原来他的床边、桌上，都摆了好几盆鲜花，有一盆是无名女郎送来的。我正预备谈话时，该院护士长汤竞群女士又送一大盆菊花来，整个病室在芬芳的笼罩中。

“我这次很遗憾，歼灭的敌人不多，既未成功，又未成仁。……”杨营长首先谦抑地说。

“你这次既掩护了大军退却，又歼灭了许多敌人，现在全部安全脱险，今后在长期抗战中，更将大建功绩，还有什么遗憾。”我很直爽地作了几句解释，并希望他谈谈他们全营苦斗的经过。

“好，我为你从头说起：十月二十六日晚十一时，我奉了留守闸北的命令，即率部向四行仓库集中，当时炮火猛烈，军队分散各处，不易很迅速的集中起来。我命传令兵分途出去，先由北站防地集合了一连，开到四行仓库；我带第二连续去，三连与机关枪连随后也到。

“因为事前毫无准备，所以一直到午夜二时许才完全到达目的地。第一步先收拾炊具，找寻些必需的柴木，然后侦察地形，布置阵地，开始构筑工事；并破坏了全部电灯，以便军队隐蔽，并免敌人利用电线放火。到一切部署差不多时，天快亮了。

“晨六时，在蒙古路附近旱桥警戒的一排兵前来报告说：‘敌人前进了！’接着警戒兵一面迎头痛击敌人，一面逐步后退，退到本阵地时，已七时半了。那时北站大楼上，已插上太阳旗了，但是敌兵还未敢轻进，先用炮乱轰了一阵，见我军还击声稀，才到处放火，实行所谓‘威力搜索’。”

他谈到这里，病房内外已杂乱地站立了七八个人，都在静静地倾听他的叙述。

“到下午二时许，敌人进到苏州河边，开始向我们进攻；警戒部队立即应战，库内部队仍赶做工事，敌来势很凶，一面猛袭，一面放火，与我军激战二小时，敌伤亡达四五十名，待我警戒部队退到四行仓库时，敌又跟进，堵住仓库门来袭。”

当时大家的面容，显然受到他的感动，紧张起来，等候他说下去。

“那时我们的工事还未作好，所以我一面派兵堵门迎击，一面派兵到房顶上投弹；投了二个迫击炮弹，几个手榴弹，仓库西南墙下，就击毙敌兵七八名，伤二三十名，其余都跑走了。遗弃枪支四五支，直到我们撤退时，还在那里放着，因为我们派兵监视，敌始终未敢拿去，遗尸都是由警犬拖回的。”

他刚说得兴奋了，要继续说的时候，一个女护士送来一碗藕粉，他在大家催促之下匆匆讲下去。

“二十七日与敌激战前后三小时后，敌人已知我军不可轻犯，静寂了两天，少数敌虽屡图偷袭，均经我军击退。我们大部队专门拼命做工事。这所仓库，真是一个‘天然堡垒’，储存了几千万包粮食，第一、二、三层楼都是小麦杂粮之类，四层与五层，是牛皮与丝茧，都是很有用处。一层至三层，我又作了三天就完全告成。将每个窗户门口均封闭了，南墙边的麻包，堆积了五公尺厚，北边各门口，筑有十公尺厚，都是从地板到屋顶。第四层因为材料不够，并为引诱敌人多多消耗弹药，实际我们无人住在四层楼，第五层工事昨天已完成，这层工事非常好，比敌人侵占的交通银行仓库高得多，我们完全可以控制敌人，敌人对我们没办法。”

大家正听得痛快的时候，忽然走进来一位十六七岁的童子军，向杨营长深深地鞠了躬，表示敬意以后，默默地站着听话。

“昨天我们只顾在五层楼做工事，只派少数兵应付敌人，敌虽不断来攻，我们在里边根本听不大清楚，让他去瞎攻，消耗子弹，我们子弹宝贵得很，没有优良目标，决不放一枪。

“到昨晚（即前晚）十一时，我们作好了第五层工事，还剩了许多麻袋，正打算放在屋顶，防敌空袭，忽然奉到撤退命令；同时敌人攻得渐渐紧了！所以我们预定五日完成的工事再未进行，否则屋顶与第四层工事今天均可作成了。”

这时，有女护士来试温度，按脉搏，所以沉默了几分钟，有人还送来鲜花篮，杨营长说：“我真是受之有愧！”

“我们除忙着做工事外，还注意到防火、照明、卫生等设备。其次，简直没有水喝，仓库里的水管都没有水。后来在苏州河边一所破房子中才弄了自来水，但是恐怕敌人破坏了，所以在每层楼放一个水桶，把大家的小便都藏起来，以备防火之需。我们用棉花打成捻子，弄些煤油点起来，作照明用，凌空掷下，同时还用一个棍子，绑上绳子，系上民众给我们赠送的大号手电筒，一人持着，将身子隐在一边，一人向下投弹。另外还可以打信号枪。

“我们在北站与敌人战了两月多，敌人的一切，我们都晓得了；他们有的就是大炮、飞机与战车，可是我们已经有了对付的经验，老兵一点不害怕，就是补充的新兵有时吃亏，他们的步兵太胆小了。

“在这里，工事这样坚固，战车原本冲不进来，重炮用不着，飞机因为这个仓库到底目标很小，不易投中，稍稍不准，就要抛到他们自己的阵地。”

他说着并用水笔为我画了一张阵形，证明敌机的无用，绝对不敢直下轰炸，就是直下，我们也有防空设备，屋顶上早有两架高射机关枪等着。

“最怕的，是敌人在仓库附近隐蔽的地方，挖掘地洞，用炸药炸坏了墙，同时用战车来冲洞口，那就不好应付；所以我们在晚间不断用电筒向外面照射，如发现有敌人活动，马上就投弹。至于敌人用平射炮乱轰，实际毫无效果，这仓库比北站大楼坚固得多，全是红砖红士敏土建成的，我们打一个枪眼，也得费五个钟头。加上我们的四昼夜的工事，外方打步枪里边有些地方听不见，真可说‘有恃无恐’。我认为长期抗守很有把握，毫无问题。民众在外边为我们着急，我们在里边倒‘视若平常’，因为一方面我们都有牺牲决心，一方面成功颇有希望，成仁符合我意。

“我们没有不达观的地方。大家关心的只是我们的工事没有完全作好，有这样多的麻袋供我们使用，有这样多的粮食，作我们粮食，有这么多英勇的兄弟……实在舍不得。我同谢团副离开这阵地时，忍不住都落泪了！”他说着，眼圈似乎有点红晕，又要落泪的样子，我也全身发了热，赶快脱了大衣，又向他解释说：“你们的撤退，并没有什么遗憾，我们不是要长期抗战吗？”

“是的，军人以服从为天职，我们守是奉命，退也是奉命，而且是冒死退出的。我们退出的路口，敌人布有四架机关枪，并有照明灯，我们打坏了一架，敌又装了一架。我们是用两架轻机枪，一架重机枪保护退出的。我们官兵苦守了四昼夜，大家只赶着作工事，谁也没睡觉。”

“这次坚守中，出力的都有哪几位？”

“那天投弹炸死许多敌人的，是排长殷求成干的，他因未用棍子打电筒，被敌击伤了右手。我们对官兵，只求能达到任务，这次坚守的，都很有决心，谁派到任务，谁都可以达到，殷排长机会好，所以表现好。我们这次的决心，是中华人民个个都有的，中华民族能延续到今天，不是偶然的。日本人不认识我们民族的历史，一定要我们永远忍耐，到底屈服，必招惨败。”

他说着又想了想说：“还有一位上官连长，汤医官，因为移防时都在他处，直到二十八日才经过许多艰苦视死如归地赶来，钻进了四行仓库，与大家决心共存亡，都很可佩服的。另外有第三连陈排几个弟兄，在敌人堵门来攻时，他们在敌机枪猛射中英勇奋战，趴在地上弄了一脸灰，起来擦擦眼，又向敌还击，待敌机枪扫射，又隐蔽到地上，这样更番苦战的精神，都很不可多得。”

“现在事过了，你们当时的兵力分配，可否对我讲讲？”

“兵力布置按战术上分重点与轻点，最要是两翼，所以我们左翼（即交通银行仓库那边）右翼（西藏路方面）都配备重兵，中间兵力薄弱。我同谢团副住大陆银行仓库里边，我们的重武器，轻机枪二十七架，重机枪六架，高射机枪两架，只要我们坚守下去，定可歼敌不少。”

杨营长是河北省人，中央军校第六期毕业生，与闽战中阵亡的王作霖团长同期；“一·二八”时在河南担任剿匪工作，初在第二师，曾参加过许多战役，“八·一三”战起，冒了好几次险。昨晨初次受伤，因见手上有血始行发觉。

火线上的妇女割谷队

胡兰畦

一 参谋长告诉重上战场的故事

我去师部时，师长和副师长都因为在战争上过于劳苦，没有睡眠的时候而病着了，虽然是看见了他们，不过只谈了几句问候的话，关于工作是参谋长给我谈的，我们随着他的指示，跟着政训处工作。参谋长还告诉了很多这次重上战场的故事，特别是士兵们很英勇自发地去抢夺敌人的枪械的事情。他说有个士兵一个人打死几个日本人，还夺回一支轻机关枪，四支步枪转来。

我们从师部坐了一只小船，在细雨蒙蒙中开到政训处去，沿途竹树蔽天，田中满是金色的稻穗，若不是震耳的炮声，我们真要被这夹岸的风景所沉醉了。原来我们的船是经过隐藏着的炮兵阵地，经过高射炮阵地前行的。在船中队员们都高唱着抗日的歌曲，歌声慷慨激昂，阵地上的士兵们都跑出来看我们，因为我们是女子，他们都很受感动。看见这些壮健的战士们快乐的笑脸，我们也兴奋极了。

二　处长的样子很和气

政训处离火线大约有二十里路，我们到那儿的时候，处长带领着附近的农民到前方师部旁边割稻去了。李秘书很殷勤地招待我们同时还给我们介绍了在那儿服务的广肇中学的几个童子军和同义中学的女童军。这天夜里我们在一间厅房内用草在地下铺了一个很大的地方，我们都在地下睡，屋上漏下的雨水把我们的铺盖浸湿了，被窝冷冰冰地盖在我们的脸上。

第二天我看见了处长，处长的样子很和气，说话老练谨慎，对于我们也表示很欢迎，他说："你们来得很好，现在我们正开始割稻的工作，因为火线上的人民，都已逃走，这秋收的事情，完全停顿，如果再不割的话，那些谷子都会熟得落掉的呀！"处长斟了一杯茶给我。

"我们也可以参加这个工作。"

"你们参加这个工作吗？"他似乎觉得不大适当的样子，他看着我说："恐怕太辛苦呵！"

"不要紧，我们可以的。"

"好好，商量一下"，处长微笑着。

"队员们都很愿意，昨天来时知道处长去前方割稻，他们都愿意参加，并且把割稻的手套都做好了。"

"好好，你们真热心。"处长笑着答应了。

我很快乐地回到厅房中给队员们讲了，她们很高兴。于是就计划着去发动难民来参加割稻，经过亚芬、秀娟、敏玉等大家整天的宣传，农民们已经更明白这件事情的重要，而且对于他们是很有益的。因为我们大家都去的缘故，他们才去掉那种种恐惧的心理。那天宣传的成绩真好，到晚上去割稻的时候，不但有几十个农民，而且还有上百个的妇女，她们都带着镰刀，带着干粮来了。

说到割稻子，不但我们的队员们不是内行，我自己也是个门外汉，就是我们拼命的割，也不见得能割几多，可是要是我们不去，这一百多个农妇就不会上前。难道我们真的是去摆面子吗？这可不行，于是我们提出一个工作合理化的口号，又把工作重新分配过，我们的队员不要担任割稻，只是照料割稻的人，出发的时候，大家带好了药包，预备救护割稻的人，害病或者受伤的。

在出发之前，先给农夫农妇约法三章：（一）飞机来了，不得乱跑，大家要伏在地上躲避。（二）在路上不能说话，不能吵嘴，不能高声大笑，并且要听我们的指挥。（三）稻子只能割稻穗，稻草留在田里。

五点钟时，天已经暗下来了，这个不整齐的队伍，就跟着我们的队员到火线上去。队伍虽然不整齐，可是很听命令。真是开心得很，她们真的谨守着约法，不说话，不吵嘴地向前走。到了前方师部村子前，柳秀娟她们去请示问开始割哪一亩的稻子时，农妇们就站在那儿一步也不动。

士兵们看着她们，都很惊讶地说："嗨！中国真有办法，老百姓都上火线了，女同志都这样努力！"

队员们真是快乐得说不出来！她们从来没有带过队伍，今天一带就带着一个这样听话的新队，而且看见士兵们这样称赞着，她们真是欢喜，她们想："我们的队伍真是广大强壮！"于是她们的肚子内又悄悄地哼起歌来了。

到达割稻的村庄，已经是黑尽了，因为天阴的缘故，真是对面不见人，伸手不见掌，而且稻田中的积水很深。

三　好像生了夜眼一样！

“开始割呀！”割稻的人都站在水中摸索着开始工作，队员们就在田边照料他们，女人们割稻子，男人们挑箩筐当运输，他们慢慢地习惯了在黑暗中做事，好像生了夜眼一样，她们自然地越割越快，我们只听见许多镰刀拉断稻子发出来，喳、喳、喳的声音，她们自己也不知道是手的功劳，或者是眼的功劳。在她们已经感到并不一定需要灯火的时候，忽然天上放出一团火光，把稻田照耀得和白日一样，我们看着一大群人都拿着镰刀，拉着稻子，站在田中做着一样的运动。

“飞机，飞机”，有人叫了。

“照明弹！”

“不要怕，不要动好了。”柳秀娟这样关照着。

四　她们真不愿看这种光明

真的都不动了，有的人还把眼睛闭起来，她真不愿看这种光明，她宁可在黑暗中摸索。

飞机不时又来，照明弹也常常在放，可是我们割谷的人已经得了一个经验，照明灯在远的地方，只要不在自己的头上，于她们的工作不但没有害，而且还有一些帮助，她们笑喊着：

“好，再来一个！”

夜已经深了，潮湿的寒风，从每个人的脸上钻到每个人的颈子里面，大家都冷得抖战起来，这时已经割了八十几担谷子，大家都快乐地整队回来，泥滑的道路上，还靠着敌人的照明灯，她们才不至于跌筋斗。

五　想个办法使她们开开心

我们的队员们知道她们的新队伍都太辛苦了，要想用个什么方法来使她们开开心，唱歌吗？不行，这些农妇们从娘肚子里生出来就没有唱过什么歌，一时之间绝对无法教得出来，然而我们的队员，究竟十分爱惜她们的新队伍，李平想出了一个办法，她想："歌不会唱，报数目总可以。"

"喂！阿嫂！妈妈！现在我们数一数我们有几何人数，好吗？"

"好，好格！"

"头一个数一，第二个数二，就这样三、四、五、六地数下去，好，开头！"

"……"没有回音。

"哪能没有声音哩？"

"哈哈，哈哈。"

"重来，重来，数呀！"

"……"还是没有人报数。

"哪能哪？数呀！好吧，我开头，(一)！数二呀！(二)"

"……"又没有声音了。

“数三呀！哈哈哈哈！”

“重来，重来，我数一，你数二，她数三,(一)！”

“(二)！咕咕咕咕！”

“三呀！”

“好好好，三！”

六　农村妇女从来没有这样大笑过

我们队员的新伍已经走回原地了，可是她们的数目始终没有报到第五个，根据割来的稻子定个人数。我们可以说大概一百多，如果一定要报数的话，再走两百里之后，或者还报不上十个人。中国农村的女人们是从没有这样大笑过，活跃过的，在这抗敌的战场上，使她们得到了这种快乐的大笑，这是一个伟大的战场，中国被束缚的女人们，赶紧跑到战场上来，在抗战中挣脱你们的束缚，找寻你们的快乐吧！

模范军人——尹团长

胡兰畦

一　第一次看见的尹参谋

那天我到军部秘书处去参加审讯汉奸的工作，同时军部参谋处有两个参谋也在那儿，一个是瘦长而活跃的王科长，一个是高大而沉静的尹参谋，他们都很热心地参加这次的审讯。

汉奸是一个十六岁的小孩，一只手被捆着，打着赤脚，生了满头的癞疮，说话时口齿很不清白，声音好像初学说话的雀鸟，吱吱，嗥嗥地，谁都不相信他会当汉奸。

“侬叫啥格名字呀？”秘书长操着洋泾浜式的上海话问他。

“魏毛三。”

“啥格地方的人呀？”秘书长的洋泾浜声音拖得很长。

“× × 北门外。”

“说大声一点！”秘书长听不清他的话，高声一叫，仿佛是对他示威一样。可是这个小孩似乎万事都满不在乎的样子，拿眼睛望了望秘书长，他又说了一声，“北门外啰。”

“侬格家里有些啥人哪？”

“没人哪，有个阿婆。”

苍蝇约好了伙伴，把队伍开来屯扎在他的癞头上了，还有一个买办飞到他脚背的疮疤上去采办粮食，他还是表示了一个不要紧的样子，把脚朝上一跷，一弯腰就用嘴对着脚背吹一口气，苍蝇吹走了，然后就用未捆着的手指去细细抓那个疮疤。

“你给东洋人做了啥格事情呀？”秘书长问他。

“没做啥格事体啊”，他用肩头耸上去抵抗头上苍蝇，把脑袋摇了几摇。

“这个样子，作什么汉奸！真是莫名其妙的一个呆子！”高大的尹参谋这样说。

“说呀，东洋人叫你做些啥事体呀？说了，我们就送侬回到侬个阿婆家去。”秘书长笑对他说，他看了秘书长一眼，脸上也泛出了笑容，他好像已经想到了他的阿婆了，“东洋人没有啊”，他又跷起脚用手去抓他的脚背上的疮疤。

“喂，不要抓，说呵！”

“杨阿二叫我到罗店去买裤子。”

“到罗店去？”王科长也带笑地说：“有点味道。”

“还做什么？”

“到行上去数炮。”他的话始终是这样简单。

“数什么炮？”大家都带了惊异的样子。

“数大炮呵。”他的眼睛望着空中正飞着的苍蝇，又用嘴去吹它。

“数了几多？”秘书长问他。

“十六只。”

“妈的，真是十六只，这个家伙。”王科长说：“炮在什么地方？朝什么方向？”

“在壕沟里，朝北啊。”

“对呀，这个王八蛋！”王科长有些生气了，他马上拿起军用电话来就接到参谋处去问：“喂！我们炮兵阵地的炮是几门呀？”

“十六门。”

“喂，朝哪个方向呀？”

“朝北呵。”

“妈的，真给他数清了。”王科长真是生气了，“真是朝北呀！”同时大家都很吃惊。

二　一个严重的社会问题

“杨阿二现在在啥地方？你得了他几多钱？”秘书长也触火了，连他的洋泾浜上海话都来不及说，很生气很快地吼出他的岳州土腔。

“杨阿二不见了哪。”

“到啥地方去呢？”

“不晓得。”

“你得了他几多钱？”

“一块钱。”

“该死的东西！”有人说：“这还有何话说！”

“这样的汉奸，真是可怜！”尹参谋说：“我始终不同意拿这样的人去杀掉。”他表示出非常可惜的样子，而且他的意思已经归结到这是一个严重的社会问题，决不是消极的杀戮可以解决的。我第一次看见尹参谋时所得的一个印象，觉得他虽是一个军人，却是一个很了解现社会的儒者。

三　很喜欢高尔基的作品

第二次我看见尹参谋，正是敌机在头上疯狂地抛着炸弹，他和王科长二人因公外出，经过我们服务团的住所，他们就顺便进来躲一躲危险，这时，团员们都出外工作去了，他很称赞我的团员们的努力，他坐在我那张破朽的桌子旁边，而他的眼光已经注意到墙壁上贴的图书目录，他说：

“胡先生，你可以借几本书给我看看吗？”

“好呀，你要什么书？请你在壁上书目中选，好不好？”

“我很喜欢高尔基的作品，这是一个很可敬佩的人物。”

“好。”我把一本“高尔基的代表作”检出给他,“《歌德自传》好不好？”我又把思慕送给我，他自己翻译的两本巨作拿出来，我说：“这也是一部名著。”

“很好”，他说：我在幸之那里曾经把胡先生著的《在德国女牢中》借来看过，我读了这本书之后，我更认识了胡先生的人格，“敬佩得很！”在他这样称赞之下，我简直不好意思，只好厚着脸皮连连地说：“不成东西，不成东西。”

时候已经不早，我的团员们还未回来，王科长看看天，他说：“你们的团员们还未回来，真是努力，再得你这样一个坚决的领导者，真是可以为国家做些事情。”

说着话，敌机的恶作得差不多，稍远的房屋，还燃烧着的时节，它们又很得意地飞起走了，尹参谋和王科长也就告辞出去。

四　尹参谋当了团长而且负了重伤

我从上海带着第二队回军部来时，不过五六天的光景，就听说尹参谋已经到 ×× 师当团长去了，并且在前线负了重伤，我听到这个消息，受了很大的感动，心中很是悬念，不知他究竟怎样了。我觉得尹团长的受伤，正是表现了他的人格，他并不只是一个简单的有儒者风度的武人，尤其不是那种满口仁义道德而不实行的理论家。

我到 ×× 师去工作时，曾经探访过他的消息，参谋长告诉我说，他是中了炮弹，负了五伤，现在后方医治。虽然是知道尹团长没有生命的危险，但是被炮弹打中五伤，也并不是什么好白相的事情。

五　尹团长还是那样神采奕奕

十一月十一日的拂晓，天刚刚黎明，地上的草还满含着露水，我从 × × 师政训处跑回军部来，向 × 总司令请示服务团第二队（就是我带在 × × 师服务的）的行动的时候，在参谋处忽然看见这个高大汉子尹团长在那儿打着腿。

嗄！除了清瘦了一些，脸上带着失血后的黄色以外，尹团长还是那样地神采奕奕的，两只清亮的眼睛，还是像火炬照人，还是那样的沉静，真是出乎意外，高兴极了，我跑过去和他握手，真比隔世重逢的兄弟还亲热。我说："你好了吗，尹团长？完全恢复了健康吗？这样快就出了医院？"

"好了，还有两处的伤口，没有完全合缝。"

"那么为什么这样早就出来呢？唉！听着你这次受危险的消息，大家都担心极了。"我一面说一面走进参谋处的办公室，一眼就看见墙壁上挂着一张日本的军旗，颜色很是新鲜，我的话还未说完，矮小的那个王参谋接着我的话背着尹团长说：

"胡团长，你要他告诉你，他这次的经过，真是有趣得很。"

"喂！老尹！你快告诉胡团长，让她写一篇文章最好。"

军部的参谋，有七个都是姓王的，又是一个高长的带着十二万分神气的王参谋，他天天都穿着那发亮马刺的皮靴（以后凡是遇着这位王参谋的时候，我们就叫他做"很神气的"，或者是"穿发亮的马刺的王参谋"），他很神气地这样说："你请坐坐，让他告诉你。"

六 把地图拿出来

我坐下来后，很郑重地请尹团长告诉我，关于他负伤的经过，他很爽快地答应了我，而且把地图拿了出来，摊在桌上，好几个人都围到地图前来了。

七　除了自己先上前是没有第二办法的

“这次上战场，我自己是毫无把握的，因为我被派到××师去，只有两天，这一团兵和我只有两天的关系，在这样血肉横飞的战场上，如何能很活泼地把士兵指挥得很如意，确实是件难事。”说着他的手指已经落到地图上面，他指着那条京沪铁路真如南翔段的黑线上，他的眼睛发出光来了，他说：“我带一团人在铁路的南面，敌人是在北面，靠铁路的是友军，他们被敌人的大炮轰溃下来，满田满野的乱跑，我接到上面的电话，命令把这个队伍堵住，不让他们退下去，费了很大的力，才堵着了一些队伍，可是这时的情况更加紧急了，敌人已经冲过铁路南面，已经占领了友军的这个阵地。”他的手指指在靠铁路南面的一个点上。“我的队伍扎在××宅。”他的手从这一点向上面东南方一拉，“如果我不去抵抗住，这个阵面就更加危险了。我有什么方法可以指挥这些与我素无关系的士兵呢？除了自己先上前线是没有第二个办法的。”他的眼光很锐敏地望着我们扫了一转，我们大家都很紧张地望着他，急于要听他的下文。

八　团长已经上前了

“好！我就下命令叫冲过去，我自己首先上前去，于是我就大声高喊：‘跟上来呀！团长已经上前了。’”他的眉毛往上一睁，那北方口音越说越响，他说，“我想单是这样喊，一定不行。万一这些兵看不见我，不跟上来，怎么办呢？我也顾不得被敌人看着目标向我射击，只好伸直腰干，挺起胸膛，把驳壳枪举得高，一路打，一路冲，一路喊：‘跟上来呀！团长上前了，跟上来呀！’”说时他的手举得高高地，他的身子已经离开了地图，脚也一步步地向前走去，他回转头来，两只眼睛光闪闪地望着我们，好像我们都是他的士兵，而且要我们立刻跟上去一样，我看见他这副神气，忽然想起陈烟桥刻的一幅木刻上的英雄，那正是他冲锋时候的神情。

九　日本人骇得满田野乱跑

“好士兵们真好，通通都跟上来了。”他的脸上现出了满意的笑容，他说：“我们就是这样一直冲上去，冲到靠铁路的北面，恢复了友军失去的阵地。日本人骇得满田野里乱跑，我乘势往前追去，占领了靠铁路的北面，夺获了日本人的手枪，军旗，还有一些文件。”他说时，那位很神气的王参谋，就指着壁上钉着的那张鲜明的写满了祈武运之长存的日本军旗给我看，他说：“这是尹团长的可宝贵的战利品。”那张军旗是我一进来就看见的，这时更详细的看看那上面写满了恭祝胜利的文字，而且还有什么妇人会和 ×× 学校等等的名字。我想世界上最傻的就是妇人们，更蠢的要算这些祈武运长存的日本妇人，她们还在做着迷梦的时候，而她们的男人们已经归了天堂，不到几天她们都要流着眼泪涌着鼻涕，哭哀地走到寡妇登记所去挂上芳名。我十分想不通，她们为什么这样蠢？天天祈祷如此的武运之长存！

十　碎片向四面横飞乱溅

“我们一直追过了铁路北面，并且还夺回了敌军的村庄，我们不敢再追过去。”尹团长的精神完全集中在说他作战的情形：“这时我也没有回团部去，我退回到铁路旁边来指挥着收拾这个局面，忽然敌人那面开炮了。他的炮弹密密地轰起过来，攻击的目标，就在这铁道的南北两面，好在我知道他放的山炮，我想不要紧，躲避一下吧，我就找了一个掩蔽地点。这样高一个坟堆。”他的手抬得比桌子还高，“炮是从北面打来的，我就伏在坟堆下面的南方。真是凶极了，一连轰了几十炮，满天上通起了黄色的烟雾，空气中完全充满了火药的气味，我被这气味冲得咳嗽起来，这时一个炮弹正打中在我前面这个坟堆上，碎片向四面横飞乱溅，我想糟糕！一定着了，我急忙把手使劲地向前后运动，两脚向后乱蹬。”说时他的手脚比着那时的姿式，我们听的人都紧张得睁大了眼睛望着他。“嗄！没有事，我的手脚很灵便，并没有受伤，至于我的身上，衣服穿得很厚，更不会有问题。”我的心好像轻松了一点。“敌人的炮就这样地稀疏，而且不放了，这时我正准备回团部去，有个传令兵从南面村庄上赶上来了。”我想他一定是在这时中了一炮，我急于要听下去。

十一　一片焦土

尹团长说：“传令兵说：‘报告团长，团长挂了彩了！’我一看血已经沿着手臂流到手上了，他又说：‘报告团长，背上，裤子都打烂了！’我拉着裤子一看，裤子上的纽子都撕掉了，臀部打去了一大块，背上也擦去了一些。一检查，我中了五处，都是碎片伤的，若不是那一个坟堆，什么也没有了，好在那一个坟堆，不过伤了一些皮！”尹团长说得坦白极了，好像没有那一回事情一样。我看了他一眼，他那和平的脸上又现一种感叹的神情，他说“卫生队把我抬上担架的时候，我看见铁路南北两面的村庄，都被敌人的炮火轰成了平地，原有的屋舍，尽成了一片焦土。这时我的眼泪忍不住地落了下来，我知道东战场的上海是难于再守下去了，但是我又怕士兵们看着我流泪，会误会我胆怯。我就急忙拿盖的毡子把脸盖着！”尹团长说这句话的时候，真是慷慨之中还带着有说不尽的余哀在里面！

十二　尹团长又上前线了

就是这一天，我们也退出了工作卅六天的外岗。我和尹团长分手时，我知道他当天夜里又要上火线去。他对我说：“总之在一天我就要为国家出力，打死了就是我尽了责任。”他老是那样沉静的样子，他对于生死二字，看得像走平坦的草地一样，任他的脚步踏起过去，这是因为他的眼光是向着那光明的一方面。在审讯汉奸时，他不愿意轻于杀戮，在上战场时，他是那样地勇敢，这正是他伟大的人格的表现。对于这样一个坚定果敢的战士，我只有敬服，能够有机会认识他，听着他讲说他杀敌的情形和负伤的经过，而且又看见他再上战场，真是幸运极了。

告别上海

长　江

上海是中国交通最便利的都市，平时在黄浦滩边，南北火车站、龙华飞机场以及公路站上，每天不知有若干千万人来往，在旅行者本身和上海的住民，对于这千千万万出入于上海的过客，只是一种平凡的感觉，只不过觉得有些人来到上海，又有些人离开上海而已。

“八·一三”抗战爆发，上海对内地交通情形立刻改变，京沪铁路之上海苏州段不通了，如果要走铁路的话，只能从沪西或者南市上沪杭铁路，至嘉兴转苏嘉路，至苏州始仍入京沪正轨。上海和内地最主要的水路交通是扬子江一线，“江阴封锁”又使这一线完全断绝，不通上海苏州河经苏州通镇江的内河水道，仍保留多少运输价值，而京沪公路交通之继续，若干重要人事的来往，仍给予上海以某种程度的慰安。日本飞机曾经不断的轰炸我们的火车汽车和苏州河上的船只，并曾炸伤了松江附近的铁桥，造成了相当数目的伤亡和交通工具的损害，但是我们艰苦的交通仍然继续着。

大场失守，接着是十月二十六日闸北的撤兵，苏州河南岸成了第一线，内河公路和铁路交通，都受到极大的影响，在这一线上往来的人们，渐渐被人们看作珍奇了。十一月八日夜间，苏州河南岸阵线因敌军在杭州湾北岸之登陆，松江之告急，而不得不向西撤退。敌军进占了沪西，进图南市浦东，于是上海至内地之旧有交通线，至此完全断绝。上海渐由“半岛”之形势，转化而成“孤岛”！这时最近的交通线，是北经江北之南通，转内河或公路以至镇江，南经宁波杭州以入京赣。但是上海南通间的长江水道，和上海宁波间的海道，皆在日本海军绝对控制之中，于是通过这一段相当成问题！

然而时局一天一天的紧迫，敌人飞机成队的在南市浦东投弹，甚于绕过租界的上空，英法军的高射炮已经对于越入租界上空的敌机，不断发空弹警告，焚烧的烟火，继闸北荒凉之后，而弥蔓于租界的东、南、西三面。无论如何麻木的享乐阶级，也不得不暂时停止糜烂的呼吸，而关怀着租界周围的战争了。

因为中国军队的撤退，大家都预料到日本一定对于租界内的活动，将取干涉的态度，特别是在公共租界，恐怕还要要求行政权的更大参予，对于租界内之抗日言论，势将要求取缔，而对于一般抗日领袖分子，恐将用种种方法加以危害。果然事实慢慢的来了，公共租界已经正式令租界内各种报章杂志举行“登记”，并令各种救亡团体停止积极活动，且对一部救亡团体加以搜查。据传闻日方尚要求租界当局逮捕四百名以上之所谓“抗日分子”，及压迫租界中抗日言论的流行。十一月八日晚苏州河撤兵之后，日本已经在法租界中心的霞飞路和公共租界的南京路大量出现。许多人从外侨方面所得消息，租界当局对于日军之强力要求，并没有有效的拒绝办法。于是大家的情绪，一天比一天紧张。

本来上海是无永久防御工事的地带，在日本海、陆、空的主力威胁下面，我们当然无死守的可能，而且从军事的观点上说，更无死守上海的必要。照我们以苏嘉路为轴心的国防工事说，上海本不在阵线之内，上海的失陷本不值得大惊小怪的事体，然而许多迷恋上海物质享受和缺乏远见的人们却把上海的退失认为是意外，认为是极重要的失败，而感到悲观与张皇。

“到内地去！”这本来是从上海的地位考虑中日战争时起码应想到的事情，然而过去政府和民众还未曾彻底的把苟安心理肃清，未曾切切实实的把上海的地位看透，未曾将应该移往内地的物质和人才早日安排。对上海有切身利害关系的人，对于“八·一三”以后的战事，还抱着多少瓦全的幻想。到了上海已成孤岛的时候，始感到不到内地别无他法。然而交通又太不容易了。

十一月九日以后的上海，对任何方面的交通，“中国人”的交通工具全部不能使用，只有外国轮船才有通过日本海军封锁线的特权。无论走南通、宁波、青岛或者香港，都成了外商轮船独占的航线。

苏州河的撤退，无论如何苟安的人也觉得不行了，于是乎大家都想走，而怡和、太古两个公司的船又只有那几只，每天还不能平均有一趟船走，粥少僧多，于是乎拥挤，船票预买到一个星期以上，轮船公司更乘机抬高船价，上海到南通本来是三元的房舱，现在是实价八元，而八角的统舱票，经过买办和小卖票所的操纵，有的是出了六元五角的代价。

十一月十日传来消息，从宁波进上海的英国商轮，在吴淞口被日军检查了十三小时之久，于是我们十一日离沪的人们，就存了戒心，一切名片、文件都不敢随身携带，并且准备好了避免日军注意的方法，和万一应付日军盘问的语句。

太古轮船公司是那样毫无情面的对待旅客，武穴轮是十一日清晨七时开船，而十日夜间还不允许客人上船，然而谁也知道船少人多，要不早一点打主意，就有落后的危险，所以二三千的难民，男男女女老老幼幼在十日夜间已经黑压压的拥满了太古码头，露宿待旦。半夜的黄浦江边，车辆和行人，因为租界戒严关系，稀疏了活动，黄浦江水面，没有船只来往的破水声，在马路、洋楼、工厂、轮船的电灯辉煌中，只听到敌舰在附近攻击浦东和南市的“破破破……”响亮机关枪声！

天微明了，这三千左右的难民在码头上微微蠕动起来，但是码头铁门仍旧紧紧地关着，只有外国人才有进去的优先权，白俄“将军”们耀武扬威的在囤船上踱来踱去，日本轰炸机也面目狰狞地出现我们的上空，大家望眼欲穿的看着船上，觉得他们实在已万分无再留阻旅客的理由。一夜露宿的熬煎，表示在旅客们苍白的面上。好容易铁门开了，几位高大的白俄巡捕却首先冲了进来，大家还没有任何的动作，他们劈头就对我们这般旅客无缘无故的乱打，人与人间拥得一丝空隙没有，他们的鞭子打来，谁也无法躲避，普遍的愤怒炽成了大家目光上的火焰，然而在那时的环境下，又无法加以报复。他们这种残暴的行动，或者是对他们的老板表示“维持秩序”的能力，可是这些无情的鞭子却大大的教训了中国人民：靠帝国主义吃饭的家伙，不会有好东西！

好不容易买到一张统舱票，更好不容易拥进了统舱，二三千旅客从两个货舱门口挤了进来，真是所谓“前仆后继”，前面进门还没有站稳，后面已经闯进了，不到半点钟，宽大的货舱已经挤得水泄不通，而后面尚不断的“挺进”，演成人丛中挣扎的现象，这时苦力阶级的朋友占了便宜，他们双手几格，双脚几登，很迅速的能找到适当的位置，我看见一对青年摩登夫妇，却因在人丛中一筹莫展，几度挣扎之后，绅士丈夫的眼睛已经凹入，而少妇的面孔变为惨白了。在这样大时代里面，整个的是“力”的时代，我们要有真真实实的力量，才能战胜强横的日本，同时每一个人也要有力量，才配参加到抗战的队伍中。体力正是我们所需要的重要力量之一。

舟过黄浦江，日本军舰正猛烈地向我们浦东开炮，敌机正趾高气扬地忽上忽下在投炸弹，沉重的炸弹声把旅客们的眉毛深锁起来了，有些年轻人走到船边探看，回过头来只是愤怒的微声叹息。

黄浦江里这时正到了好几艘日本运输船，满装着补充的军火和增援的敌军，浦西各码头上，日本的军用材料多如山积。特别是我们标榜建设的虬江码头，给敌人运输上以最大的便利。

江湾吴淞一带的建筑，没有不被敌人的炮火打得百孔千疮，特别是吴淞镇已成瓦砾一片。敌人的汽车和人马在我们战士的血染过的黄浦江边奔忙往复，颓垣败壁间或可以看出敌人临时的兵营，一部分的敌军正在江边草地休息，他们或者正在想：以中国军队作战之神勇，如果把粉饰太平的那些物质力量，改成几个近代要塞，日本欲这样顺利地达到大举登陆目的，恐不能不费重大的代价。

侥幸没有查船，我们安然绕过炮台湾。到南通的江流上，大概二英里布置一只敌国军舰，是的，他们正在对中国作严密的封锁，然而中国人还在另几方面想新的办法。

船入扬子江，宽大的江面和疏落的敌影，让大家的情绪暂时回复平静。上海巍峨的洋楼，肮脏污浊的租界社会，现在一件件在我们意识中淡化了。足踏上南通天生港，才算是到了我们中国军队保护的中国领土，我们此时面向着日本，后面才真正是我们后方。

（十一月十八日南京下关）

绕行江北

长　江

大概是十小时的航行，船到南通天生港，天生港码头离南通城还有大约十里路程，从前南通张季直先生曾经想开辟天生港来代替黄浦江，用南通来代替租界根据的上海，准备让外洋和内河的轮船都以此为转换点，他这种志愿因为种种原因，没有实现，他死之后，后继无人，南通唐家闸一带他所手创的工业，已经日即于凋零了。

十一月十一日晚到天生港的三千难民之中，有一半是妇孺，几只驳船把这群难民如罐头凤尾鱼式的一团一团的装到岸上，顿时间几里路长的江岸，都拥满了难民，小小的天生港码头，旅店设备，无法供给如许多人的需要，弱者在斗力量的场合，是一定失败的，因此妇孺们对于争寻宿处的斗争中，不及男子来得有办法了。检查旅客的军警，对于这样突然来得太多的难民，也不胜其检查，只好大致不差的让他们通过了。

天生港是扬子江内河港口，它的对面江心就停有日本军舰，我们在夜间通过，威胁较少，但是我却怀疑，不久的将来敌人恐怕要对于这条交通路加以破坏，破坏的方法很简单，只要军舰开几炮，飞机来炸几下，就不能作为安全交通路了。隔了两天我们得到消息，果然日本对于天生港开炮了，所以我们国家自己军事力量不能绝对控制的交通路，希望偷偷摸摸的维持一种重要的交通，那是不可能的幻想。

南通到底有一些土著工业的基础和张季直先生苦斗风格的遗留，一般的民众多半穿着土布衣服，而且总保持相当的清洁。晨间在郊区附近看到许多推运土布的小独轮车，乡间农夫、农妇也是健壮模样，绝不是上海租界上恶浊腐败那样讨厌。

南通这一县，差不多有二百辆的营业小汽车，其富庶当非普通县份所能比拟，但是他们营业方式，还是家庭手工业式的。某家人有一辆汽车，车主和司机普通就是同一个人，就是自己的车自己驾驶。如果某一家有了两辆以上的汽车，驾车的总以那一家的父、子、兄、弟等任之，万一家中无适当的人物，才雇用家外的技工。这约二百辆汽车，以一家一车者占主要的成分。因为自己使用自己所有的生产工具，所以每一辆车的保护都非常周到，机器普遍的都非常完好，所以外表已经很破旧的汽车，走起来仍然非常有力。不过，这种汽车之大量征调与使用，有如藏族骑兵之集合，各人顾惜其车马，集团使用的力量，比较缺乏。

十二日天雨，我们仍雇车而行，盖不敢担保日舰何日攻南通也。行十余里过唐家闸，工厂商店已成小埠，河中帆船积泊数里之长，设在晴天，当有一番热闹。河边码头候船之行李，积压成小山，雨水不断侵蚀，损害当在不轻，敌人在中国之不断压迫，使中国受难区域日渐扩张，今后苦痛，当较今日尤甚。欲求和平安乐之到来，只有在战胜日本之后了。

南通至镇江，有水、陆两途，水路从内河可到口岸镇，陆路经靖江、泰兴亦可到口岸，或再由此至扬州。口岸至镇江可乘江轮。由镇江可通内地。

为了图快，我们乘汽车，大雨滂沱中走上新修的泥土汽车路，最初还好，雨水还未浸透泥地，走过四五十里之后，泥路路面渐渐松了，车行松软泥上，困难万分。在一个叫石庄的镇市，有六七辆的汽车夫要胁客人不愿走了，我们汽车一到，他们就灌输我们的车夫以恐怖空气，说是前面路太坏，已经翻了好几辆车，他们大家都开回来了。车夫乘势向我们说项，要和他们同休息，然而我们看前去的路上根本没有车轮印，当然他们没有去过，于是强令车夫再走，车夫为顾惜自己车辆起见，反抗相当激烈。

这时另外一辆行李车上一位十七岁的青年司机，引起了我们的注意，他开车迅速、巧妙而勇猛，最难得的是他超乎一般车夫的市侩流俗习惯，他对那不愿走的车夫说："迟早总得走的，不如早早走完这一趟。"石庄以后的路比以前更坏，陷车的事情，已成为普遍的现象。这位姓施的青年车夫始终是一副笑容，集精会神的操纵他那部汽车，使之安然过险，无论如何难走的地方，他总是笑着说："有办法！"往往在我们的汽车死板板的陷入了泥地之后，他突如异军突起一样，开快车从我们旁边掠过。在我们车子出毛病的时候，他一定很快地来帮助修理，而且他往往是选择最艰苦的工作。有一次我们的车子坏了轮子，地下全是半尺深的泥水，他太热心去工作，因为地下太滑，他不小心把支持汽车的"千斤”弄倒了。他们把他一阵恶骂，然而可爱的是他仍然继续热心帮忙，一点也没有生气。在如此泥泞的路上，我们单纯坐车的客人，已经弄得泥污满身，而他在车上车下如此频繁的工作，却仍保持他清洁美好的可能的程度。他这种优良的性格和生活态度，很快地使我们待他如亲密的朋友，在他的意识中没有突不过的困难，永久是生活在希望和胜利中，他并且告诉我们，他志愿有机会当飞行师和坦克车驾驶员，以便在抗日战场上为国家效力。

我们有时在经过一段太坏的道路后，没有看见施来，总担心他只是十七岁没有长途开车经验的青年。等他到来之后，总是笑着说他如何闯过艰难的有趣经历。

南通到靖江的公路，是稀有的坏路，十二日午后差不多六十里路的行程，汽车全是由几十个临时雇用的民夫推着走，汽车在烂泥路上前、后、左、右被人拥着行进，一方面机器开足马力，一方面车里的人也同时帮着呼吼，一段一段的坏路过去，推车的民夫全被污烂的泥水撒满了全身。为了微薄的代价，在凄风苦雨中不顾寒冷的挣扎。靖江和江阴隔大江相对，江中即为江阴炮台，附近即为我们封锁线所在地方，我们对于战争之可能失败，当有预计，在大江封锁、江南铁路公路和内河都告切断的情况下，江北公路能如此糟糕，不能不说是预谋之有未到。

南靖路全长一百五十里，平时为二时半的汽车行程，我们跑了一天，还说“尚有四十里！”路上遇到坏了的汽车不少，我们不愿在夜间滑路上去冒无把握的危险，两辆汽车就停宿在一所不知名的乡村间。

穿过两重湿滑的场地，走进久于行军的同伴所寻定的住所。这是一所小康地主之家，在猪圈隔壁是一所私塾，学生们正回了家，塾师和姓施的东家非常热诚的招待我们。后来我们同那位先生谈起了上海的抗日战争，问他知道有甚么消息，他的答复是：“乡下人，勿大清楚！”他又说他们平日看上海报的机会都没有，所以知道外面的事情很少。这位乡村知识泰斗已经如此，那么在他影响下的这一乡村，其知识水准之如何，已可想象了！但是，这里正是隔战线很近，而且是平日教育很发达的江苏省！这个村庄的南面三四里就是大江，敌人攻击江阴炮台的炮声，他们全都听过，然而到了上海已失的现在，似乎在行动上和精神上，他们都没有半点的“动员！”

行李衣服都湿透了，然而我们仍有过夜的办法。十三日晨接近靖江城的途中，农民们正在军队指导之下作防御工事，这当然是因上海的失守而加紧准备的。靖江为江阴封锁线之左翼，要巩固江阴封锁线，不能不严防敌人在南通的登岸。

靖江南面八公里是八圩港，渡大江即江阴城北门，东面即见江阴炮台屹立江心，这是我们扬子江防上第一重锁钥，敌舰不能直冲南京，完全是它的支持。东望山中将士，窃愿他们永远胜利与光荣。

靖江以后的公路，路基比较尚颇完好，路面有一段已铺石面，过泰兴一直到口岸都是平直的公路。口岸到江边还有三里，另有市镇曰龙窝口，为江北内河与江航重要联络码头，大江出口航运，即以此为转口。

（十一月十六日南京下关轮中）

感慨过金陵

长　江

镇江登岸，想在南京看看再走汉口。镇江朋友们满腹忧郁地谈论着时事问题，对于上海前线的撤退，得到不安与恐怖的印象。他们单纯地看到各方面的军队一批一批的上去，伤兵们一车一车的下来，十四日那天客车已不能再通苏州，只能在常州止步。前方和接近前方的后方，见不到军队以外的政治动员工作，军事的真相民众不能知道，而官方消息又是那样一贯的没有变更，这样大家不但不相信报纸，而且总想象有多少可怕现象。这种浮动的心理，最容易让谣言产生和传播，谣言的内容通常是超过多少事实的实际程度。

抗战已经三月以上，我很想此时来看看抗战中枢首脑部的气象，我想象中一定是严肃热烈与紧张，因为这里是全国抗战机构的发电所，这里应该是充盈着热力，让在城外经过的敌人们也要感到这是一所神圣庄严、壮气横溢的城堡。因为现在南京是中华民族五千年历史断续存亡之所系，我们这一代四万万五千万同胞和子子孙孙是否作奴隶、牛马，都要靠南京的领导来决定。

在时间限度之内，尽可能在南京看些前辈和朋友，出乎意料之外的是不少人为“苏州失守”的传说所遑惑，对于东战场的移动，除叹息惋惜于我艰难万状的抗战军队外，只有摇首悲观，了无活气。

在南京官场里尤其不应该有这种失败恐惧的感觉，政府人员应该比一般民众更了解这次战争的形势和它的性质，初期失败是不能免，亦不足奇的，如果政府官吏还妄想着中日东战场的战争会在苏州、上海间解决，而对于南京存着永久安乐窝的幻想，那就是不懂得中日战争的性质，不配作抗战政府的组成员，免得因为自己的无知与慌张，影响了我们最高统帅的安定和动摇了社会的人心。

紧接着来的事实，是南京各重要机关都向内地迁移。“迁都！”的严重事实压在每一个人的心上。“林主席走了！”“……迁重庆！”“……迁长沙！”“……迁武汉！”“某部长说：南京在一周以外就成问题！”“限各机关 × 日内迁出南京！”“东线军事不好！”……这些或真或假的消息，骚动了南京的官场。彼此见面只问“什么时候走”和“如何走法”，有的是江轮，有的是浦口搭火车，高等的到芜湖坐飞机，有私人汽车的，就奔江西跑长沙。

顿时南京的交通工具大忙而特忙起来，汽车租用一空，公家汽车和私人汽车一齐在街上紧张地跑着，马车从鼓楼到下关，涨价到五元，人力车跑得来没有休息机会，疲劳的身体对于很好的买卖，也摇头不愿接受了。

似乎敌人军队明天就要到南京，许多重要官吏先行“轻装就道”，吩咐些下级职员收拾公物，设法运往指定地点。每一个机关地仓猝装箱和运输，集南京如许多文武机关，同时动作，于是整个南京尽成了“搬家”世界，车水马龙的拼命向下关码头和江南车站集中。一般民众莫名其中究竟，看到这种严重现象，听到些加甚其词的谣传，于是更亟亟不可终日，也不自主的逃奔，车票、船票早已买不到，于是挤到车站码头再说，集结下关的逃难官民，为了等抢登太古公司长沙轮，冒着大雨预先乘无顶铁驳到江中专候终日者不下一千余人！实际苏常一带难民已在镇江将少数交通船舶挤满，过京能容旅客，已经有限。岸上候船者不计，甚至有江中露立候船至次日未能成行者。

我们主张对日抗战的人们，当然应该预料到有“迁都”的节目，“预料的迁都”不是失败，正如我们最高统帅对上海撤兵的谈话:“不是战争的终了，而是战争的开始。”战争展开在苏嘉线上，是东战场第二期战争的开始，双方使用之兵力，战场面积和作战方法，都进入新阶段，这时把南京“首都”的外衣脱去，使它以森严的军事堡垒资格而出现，这是完全正确的。这一节目的排开，是明白告诉日本军阀，从苏嘉路到南京，全是军事堡垒区，准备几十万人来冲吧，我们凭借南京四周的堡垒，准可以给日本来一次大会战，纵然日本打下了南京，也只是我们一个战场的得失，不是战争的终了，而是另一期战争的开场。所以迁都是保证长期抗战的便利，而不就是失败。

可叹的是若干政府官员，不了解迁都的正确意义，不了解最高统帅的决心，而认为是“逃亡”，丧失了宁静，丧失了理智，弄成动摇人心、遗笑外人的现象。

下关各码头堆着千千万万的箱笼，没有秩序，没有区分，没有适当的管理，这一部，那一署，通通挤在江岸上。公物固然有些，而其中最大部分，都是官吏私人的家具和行李，成包的箱柜不用说大小悉搬，似乎还顾虑内地物质缺乏，铜床沙发亦在急运之例，许多人同声太息的是，各码头都有不少的桌椅、澡盆、梳妆台，天上不断的下雨，如山的什物都在露浴之中，保护得最好的是私人行李，而公物则听它们自己的造化。

所谓正确的迁都，是将领导抗战的中央政府向后方迁移。应迁的内容，主要的应该是：（一）物质。与技术职工有支持全国性的物质储藏，及重要的制造机器，及技术员工，此类物品应在政府决心迁移之时，先期秘密的运出南京，不动声色。（二）图册。行政机关特别是财政、经济、外交机关工作上必须之图书典册，当顺次从容运出。（三）第三步始在有秩序有计划的交通布置中，将各机关人员分批运往指定地方。

因为我们今天抗战最缺乏的条件是物质，许多重要军用品和制造军用品机器，都是来自外国，海路被封锁后，补充更为艰难。我们英勇的将士，必须凭借相当物质基础，始能打胜敌人，完全信赖血肉以求胜利，那是不可能的。所以哪怕是一颗钉、一个弹壳，都是我们争取抗战胜利最重要的工具，我们要好好保持，把它转变为歼灭敌人的力量。我们现在只有抗战是高于一切，胜利高于一切。唯有抗战始能免于作日本军阀的奴隶、牛马，而又唯有抗战到达胜利之后始能保持我们的自由与康乐。因此对于抗战有关的物质，我们应该看成自己的生命的一部分。假若抗战失败了，我们的沙发、铜床搬到拉萨也安稳不了！

偌大一个迁都大事，就是交通工具的管理上，也该有点秩序，有点办法，以供国民的示范。某天走某机关，大致有多少人、多少物件，应该分配多少吨数的船，指定他在什么时间、什么码头上船，把所有可用的船只和可用的码头通盘筹划一下。对于每一个应搬走的机关，事先和他的负责人接洽好，并不要他们事先都乱七八糟的堆到下关来，要到船都预备好了，然后在指定时间到指定地点，很迅速地把人物运到，即刻上船，上好就走。如此既不纷乱，船舶使用也可以经济。然而今天他们不管有船无船，不管船大船小，首先把东西运到江边，往往两三天没有走了的很多。敌人对于我们迁都的消息，毫无问题的老早知道，设若不是这几天大雨，敌人很可能来几次空袭，试问码头上集中如许多的东西，如何得了？

船舶管理所把大小轮船扣了大批，商运完全停止，普通人民要走，只有搭外国船，而差船的分配并不能迅速而确定，各机关彼此还相互争执，又看机关主官力量的大小。命令也不统一。我们搭一只开汉口的商船，最初说不打差，后来说下部打差，上半部搭客。许多客人已经上船，又来了四个机关的代表争船不相下，最后还是维持半部打差的原意。正要上公物、行李等，一会又被这个机关赶走到那个码头，一会又被那个机关赶得不能靠岸，我们逼得在江中无依无靠的停泊了半天。东耽误，西耽误，共耽误了三天才能动身。如果是有效的管理与支配，这只船动身的时候，应该是在到了汉口再返南京的途中了。

许多人民受了这次迁都的刺激，一部分青年官吏对于这种败北主义的表现，都引起了绝大的不安，他们怀疑抗战是否还有前途，他们恐惧中华民族是否还可以复兴。这全然是过虑的。这是政府的舆论动员不够，机械的新闻束缚政策，把报上只留了些毫无内容的刻板新闻，大家每天都抢着看报，但是谁看了报也不肯相信，南京这样大的搬家事实，报上一个字不提，以为这样就瞒过了民众，免得动摇了人心，这无异偷铜铃恐怕被人听见而自己堵塞了耳腔，这种作法只有加强人民的恐慌，强化社会的不安。正当的办法，此时的新闻政策应当公开，尽量讨论迁都问题，而且尽量说明战局的发展和敌我的形势，尤其要说明迁都的意义不是败退，而是安全的策动抗战的步骤。就是要在舆论上说服人民，并且指导人民以应付新事变的态度和方法，这样人心自可稳定，后方人心稳定，始可坚定前线的军心，南京安全的地方已经如此慌张，那前线数十万的将士，不知将如何过活了。

上述不合理的事实，不足以说明抗战前途的悲观，不足以说明最高统帅的抗战决心不够，更不足以说明中华民族将不会有辉煌的前途，这只是若干官吏表现了腐败与无能。为了抗战，为了保障我们自己和子子孙孙不作奴隶、牛马，我们要求刷新政治机构，要求舆论有批评政治腐败部分的自由，我们要后方的政治机构，能如前线将士一样，发出强大的支持抗战的力量。

江行杂感

长　江

一　洋管事

船快到南通天生港，太古公司船上的“管事”和旅客们谈话，旅客们问他南通、天生港下船后的交通情形，他以不圆满的神气陈述南通口岸间交通状况，因为那一段完全是中国人经营的交通路线，对于英商太古公司的利益，当然不会十分无抵触的。末后他又兴奋地打着上海腔，内中夹一两句英语，他说：“口岸就有了我们的——当然这个‘我们’是指太古公司——船了。‘我们’现正在调动小火船，打算把口岸和天生港的内河航路，也由‘我们’来行驶。以后搭‘我们’公司的客人，就方便得多了。”

也是这位管事，在船上正开午膳的时候，他在大餐室正忙于伺候外国上宾。住在大餐间的朋友陈国光先生却放弃了他在大餐室进餐的权利，而一定要陪我这统舱客到官舱里去买饭吃。因为时间上还有等待，我们在他的房间里按电铃叫茶房拿开水来，谁知来的是那位管事，新装上一副盛意凌人的面孔。这可奇怪了，我们正想不出这个奇事的缘故，管事先生开尊口了：“外国人——他说这三字又重又轻，重是表示他对于‘外国人’的尊崇，轻是恐怕说话被‘外国人’听见——正在吃饭，你们按什么铃！要是外国人知道了，他又要怀疑在大餐间用膳客人外我还私卖了票位。”他知道我们是要开水，赶紧和我们解决以后，又匆匆去换上另一副奴颜婢笑去伺候外国人。

生活是人类活动的中心。人的意识根据这个来决定。这位管事，他生活在外国轮船公司里，而且有着较好的地位，较好的生活，眼看着还有较好的前途，他不自觉地忘记了他所属的国家和民族。改造意识，只有从改造生活环境下手，才是最有效的办法。

二　官僚行径

下关中国旅行社的大门上，白粉笔写着：“某日某日某日船票已经卖光，欲乘某轮者，请自己在某码头等候。”所谓“自己……等候”的意义是票没法可想，你如果能挤上，那看自己的造化。旅行社是被人相信在交通上总有办法的，大门尽管不开，比较有地位的逃难者会从后门走进旅行社来，要求里面的办事员想法。他们被逼不过，只好想出一个不负责任的办法；船位是没有，如果客人一定要票，只好无限制的卖，但是声明两点：（一）

有票不一定有船，更谈不上固定的舱位。（二）走不了可以不打折扣地退票，于是若干官员们你买十五张我买二十张，顿时间卖出去了几百张票。有一位大约平日用惯了“密谈”的方法，他轻语要给那位卖票员以某种好处，而以安慰他“太忙”为口实。谁知那位青年卖票员在百忙中很简单地答复他：“忙是我们的本分！”于是他要卖票员“不找零头”，送他“喝茶”，他却坚持要“了清手续”。最后他拉着卖票员的衣袖，要他到旁边“说个话”，而他头都不抬地说：“我太忙，要说话把这些事完了再说。”似乎这位“厚情厚意”的老经验家急了，他声音提高了来“我有事，一会就走了……”对方的回声是仍然自尊地平淡：“好的，说不定我们不久也要到汉口。”

三　离奇消息

在民生公司负责人方面，知道了官方同意民俗轮可以卖票，于是我们一些旅客买票上船，当天已经看到几次变化，有时说官方要封，有时又说可以放行，茶房看形势不对，已经把铺开的卧具收回去了。看看已经不行，晚间公司方面又来喜讯，说民俗半截搭客的办法，仍然交涉成功，我们于是开始重新铺开就寝。

次晨大概四时光景，我为船上纷乱的脚步声和谈话声惊醒；原来是民生公司南京负责的两位经理上船通知客人们重大消息，说是差船管理的当局通知他们，民俗轮仍要封差，只是不是开往旁的地方，而是为某部长要在大江中办公之用，并且限令客人们于晨七时前即刻下船，七时某部长即要驾到。这是值得重大思维的消息，已三番五次周折而得了一半自由的船只，在这深更漏夜突然说某部长要在这船上江中办公，岂不是天明后南京军情有什么重大变化吗？当然战时军事高于一切，我们只好起身准备下船。而且考虑到如果是敌机大举轰炸南京，我们就跑到远离码头的空野地上敬候我们的命运。

幸而来了一只民宪轮，差轮管理员也过意不去把我们这些如羔羊式的客人再哄上岸去，经公司经理提出以民宪替民俗的办法，几经往复，我们才又被放过。

四　无理羁留

民俗轮好容易从下关开动了。四小时的夜航，二十一日晨间三时到达芜湖。因为预定要装某机关的公物，装好再继续西开。但是到芜湖查问，货并没有到，据负责人说是二十日夜间从南京用火车运芜则无论如何二十一日晨可到，因为京芜间只有三小时的车程也。然而东等无消息，西等无消息，改装他项重要公物，亦遭坚决拒绝，一直停了二十五小时，在全船愤怒之后，多方说项，仍不能得押船人员之许可，他一切都要等候南京主管机关的命令。货既未到，而天气已晴，在久苦阴雨之敌机，定在京、芜一带码头车站大肆活动，我们无端停在芜湖码头上，不是把已装公物和如许多的客人，一齐放在不必要的危险线上吗？幸船中有黄膺白夫人在，她不愿受政府差船上免票的待遇，而自己购票乘民俗，她本于旅客本身的权利，仗义主持，民俗轮始得开出。开出不久，船中无线电即接南京空袭警报，接着来的消息是："敌机二十二架袭南京！"全船客人无不同声感谢黄夫人。

五　纵谈

船上餐室是大家的俱乐部。

左舜生先生本来是国家主义派的巨头，而他籍隶湖南，因此过去和毛泽东、林祖涵、徐特立诸人都有相当的来往和交情，他说毛泽东之为人，生活刻苦、严正，相当受中国理学影响，他的岳丈杨昌济的英国"绅士风格"，因他是杨的得意门生，所以亦不无影响，毛在长沙时不相信“洞庭湖八百里”这一句，他想实验洞庭湖究竟有无八百里，他因此穿了湖南木屐，绕着湖走了一圈！

话又转来问李景汉先生，因为他同定县平教会有关系，因此就问起他关于晏阳初先生最近所鼓吹的“农民抗战运动”来。目前中国表现着民众运动的有两种方式：一种是政府的保甲运动，一种是共产党所提出以改善人民生活为基点的民众运动。前者是由上而下的，命令式的，后者比较是自下而上，注重人民的自发性，前者是义务单纯的增加，后者是权利义务比例的发展。王又庸先生在杨永泰、熊天一诸氏所主持的剿匪保甲运动中，实施上有不少的经验，他认为那种保甲运动只是行政机构的延长，为便利政府更切实地指挥民众，这里无民众利益可言，而且组织上只有纵的系统，没有横的联络，这只可以叫做“马尾式的平列”，谈不上“机构”，谈不上“组织”。李先生对于名词上参加了深刻的意见。因此一般说来，晏先生的农民抗战运动，恐怕是仍比较多含战时农民抗战教育运动的成份。

六 李杜时代

因为杜重远先生从芜湖上船，住在李景汉先生原来的铺位，左舜生先生说是：“走了李白，来了杜甫。”大家于是从李、杜两大诗人的时代背景，想到今天的情况。生死存亡所系的抗日战争演变到今天这样重大的局面，而政府官吏及地方政治之表现，又如此难令人满意，田汉先生最近从上海到南京看到迁都景象，慨然叹息：“如何肉食锦衣者，竟向江干买客舟！”南京凌乱的时候，许多痛心国事的人都慨然念着，“金陵王气黯然收”之句，田汉有一天在某青年军人处会着，他知道南京虽然如此令人不快，实际上仍在某几方面有多少进步，国家大局并不因这一般“肉食锦衣者”之可怜的行径而绝望，于是他的诗上又表现着：“国事原来尚可为”……“金陵王气未全收”了。

似乎李景汉先生感伤得最深，他在河北平原工作之时间很长，然而北平丢了，后来他到绥远山西，顺次看着绥远、大同、太原之失陷……他离太原南下之时，眼看着增援军队以及伤兵没有车运，而南下火车一列一列的尽是军官和大吏们的家眷行李家具，甚至于顶不值钱的木器杂物，亦堂而皇之地装在车上！这回他到南京不几天，又遇到南京这样的搬家，“走一处，送一处终！”他感到太无味了。

这种大动乱的时代，构成伟大的诗歌、戏剧和记述的题材。我们可以预料，在这一大时代中很可能产生比李、杜更为充实，更为积极的近代李、杜。

七　和不得

南京支那内学院大师欧阳竟无先生，是中国佛学研究上的泰斗，特别在法相宗方面的研究，他有独到的见地，真可以算是这方面光芒万丈的成就，中国名佛学教授汤用彤、熊十力这些大师都是他的学生，他也搭民俗去重庆，现在我们江防重镇的欧阳恪先生，是他的独子。提起“佛”字，令人想起“出世”之思，谁知这位大师出人意表，民俗经理成质夫请他题字鼓励船员水手，他却写了一篇极有抗战热情的短文，内中有“黄帝子孙决无下人者”之句。随后我问他：“听说有人对于目前战局主张和的，大师意见如何？”他听到“和”字，愤怒到非同小可。他本是大头隆准巨目的大师，此时特别张大了龙眼，挺着高鼻，举右手直指我的胸膛说：“和？那个说和？和不得的！”歇了歇他又说“中国过去就误在‘和’字上。宋朝亡国就吃亏在‘和’字上。如果“九·一八”当时就和日本打仗，东四省就一定不会失掉。现在还有什么可和！讲和就是汉奸！和就要万劫不复地亡国！”这位老先生六十岁了，想不到这样有力。他不仅不是感情主义者，对于胜利的途径，仍有他的研究。他说：“只要继续打下去，不怕败，哪怕败到四川、广西，不和，日本就不得了。日本不能令我们屈服，日本又无永远战争的可能，所以终究是我们的胜利！”对于外交与抗战的关系，他也有正确的见解：“不过，此时我们能有力地灵活地运用外交，早些能在国际上造成对日本的压力，那么我们可以少受些损失，早一点达到我们的胜利。”他为了加强国人的信心，反复说明“黄帝子孙决无下人者”的诸种理由。中国不会亡，一定可以最后胜利，他看得清清楚楚。

上海书简

一

× ×：

因为战线中的一点被突破，为了避免后路被截断的原因，我们闸北的士兵起始撤退了。才听到了这样的话，谁也不相信，虽然心中已经想到了那是必然的举动，嘴里也在说着我们是绝不会退的，我们是绝不会退的。

自从上海战事发生以来，闸北的士兵就未曾后退一步。相反地，他们还几次冲到北四川路，控制住敌人的阵线。纵然敌人的飞机在那一小方土地把炸弹像雨点似的落下来，实际上的损害仍然是很细微。还几次听人说无论日本人怎样压迫，闸北终将由我们守住，因为我们以闸北为中心，前进和后退，都可以保住闸北——保住闸北就是保住上海，这个金融、罪恶、商业、耻辱、文化……的中心。在那方负责指挥的长官，也三番两次说不必过虑，至少在那一面是可以过年的。

可是终于这个不幸的消息来了，像一个不曾提防的惊电打在每个人的身上，于是，在每个人的脸上看见了一道阴影。我们不能埋怨他们，他们并不徒然是无用的悲观者，为国家的喜惧而喜惧，原是每一个人民的应该的，尤其是我们已经认清了我们的敌人，我们唯一的敌人。

在北边，大火就烧起来了。而且友人伤心地告诉我说在两路路局的大厦上，已经飘起了血红的日旗。那天的天气极坏，灰沉沉的，浓厚的烟更增重了悲惨的情绪。××，你没有在这里，你不曾看见每一个行路人是什么样子：像自己丢了什么，低下头去，仓猝地走着，谁也不再说什么。

灰黑的天的那边，日本飞机还是不断地盘桓飞翔。

可是像更大的一声雷，说是有五百个士兵占据了四行货栈，准备牺牲他们的生命，和进攻的敌人周旋到底。我们是高兴了么？我们是为他们的命运而悲悼了么？当我和 B 反复地说到了这件事，谁都避免来看对方的脸。我们的话说得很慢，当着沉默的时候，我看见他的一只手拿出手绢，那一只手把眼镜摘下来，……我更不敢抬头去看，我忍着，忍着……

晚上，东北边和西边都烧着大火，西边燃烧的是周家桥一带，东北边则是闸北一面。那火一直烧，不曾间断，我们并不为那烧毁的财物惋惜，使我们关心的却是那五百个人。

怎么样来设想呢？他们有足用的食物么？他们有足用的子弹么？而在那一隅之地，才只是五百个人，怎么样能来抵住大队的敌人呢？他们只是一支矗立的孤军，即使他们的力量极微弱，他们的勇敢不屈，视死如归的精神也将倔强地亘立天地的中间。

过了一天，最后的字也送出来了，一面国旗也送进去了，于是在河的彼岸，在日本旗之中，有一面我们的国旗高高地在微风中飘扬。在国旗的下面，三两个守卫的兵正站在那里。

为了表示崇敬，多少市民都到河的南岸去瞻仰过了。因为还可以设法输入，有许多人送去了食用品。在一切绝望之中，这是唯一的闪耀着的火光。我们的整个的心都在想着这火光能照得大，燃烧得凶猛，它会渐渐地成为一场大火，烧死我们的敌人。

在第三天，我们也去看了。同去的是五个，C、D、K、B和我。K已经去过了一次，这一次特意陪了我们四个人。那是下午三点钟，西藏路的北京路北，已经断绝了行人。我们朝西去，终于站在聚集着的一群人之中。朝北望过去恰巧一段低矮的房屋，不致遮住我们的视线，就看到那庞大的货栈。那上面悬了一面大旗，屋顶上还看到几个微小的人形在移动。

我不知道那时候我的心中有什么样的感觉，我就是凝望着，好像是有一点呆了。步枪声和手榴弹声都可以听到，靠东一些还起着机关枪的声音（到后来才知道那是因为日本的汽艇想来经过苏州河抄袭后路，为美国驻军开枪阻止而发的枪声）。我的眼睛有一些湿润了，我举起手来摇着，好像他们也摇着手；可是我还故意显出我的微笑，我看不出来他们是不是也在微笑着。

人很多，后来者也来争求立足之地，路原就不大宽，车辆的经过动荡着整个的人群。我想我们该走了，可是站在身边的 D 并不肯移动脚步。我只好还站在那里，遥遥地表示我们的敬仰。

终于我们还是在投了最后一瞥留恋的眼光之后离去了，向东走了几步，D 和 C 还想走进铁丝网去，却为巡捕阻止了，我们就各自走回自己的住处。

又过了一天的夜间，炮声好像要把整个的城市震动得翻一个身，把许多睡着的人都惊醒了。那是炮声最响亮的一个晚上，好像就打在每一家的房顶上，也好像打在每一个人的心上。我知道，这是日本军人所发的，因为他们已经说过将用任何的方法来进攻——为了使那五百个人撤退，像是他们把整个的上海都毁坏也不吝惜似的。

以后才知道就是在那洪大的炮声之中，那五百个人遵守长官的命令撤退了。说是死守原是无谓的牺牲。为那五百个人，我们原该庆幸，因为他们是好男儿，他们不该死，他们该把生命化得更有效用一点；可是为了上海，我的心只有沉下去，沉下去……

二

××：

浦东和南市都有大火烧起来，黑烟直窜上空，把清朗的天搅成阴暗的了。不知道是烟还是云，遮去了阳光，寒风也及时地吹着。

推开窗，就有烟从窗口扑进来，焦败的气味使我感到不舒适；可是我并没有关上窗子，因为我想到了有多少人正在火焰之旁和生命做最后的挣扎。

继了闸北的孤军之后，南市也有一孤军和敌人做最后的周旋。除开了兵士还有警察和卫团，他们成为扼守上海的最末的一支军。我想你还记得南市那个地方的？湫隘的街道、繁密的居民……可是日本人想不到这些，他们应用大队的重轰炸机在上空飞翔掷弹，而沪西区的重炮也疯狂了般地向那里攻击。

整个的城市被撼动了，除了武装的兵士，那边还有许多平民。老的、小的、男的、女的，拥在接近法租界的民国路上，他们为强烈地活下去的欲望，等候着一条生路。在早，他们也许舍不得他们的家屋、财产，而今知道了死亡就在头顶盘旋，他们不得不抛弃了一切。他们惊喊呼号，看到每一颗炸弹落下来都起一番骚动，即使知道不会落在他们身上，那一边还有他们的家业。有许多女人还是为炸弹着实吓了的，她们看见有多少活生生的人在那一声之中成为多少零散的血肉肢体，她们呆了，只要再看见一个炸弹下来，便神经质地狂喊，还在人群中无目的地冲来撞去。

这人群已经有三十多小时麇集在那里了。他们什么都没有，入晚也不移动，任一夜寒露的侵蚀，他们在等待一条生路……

可是日本人的轰炸更凶猛地进行着，三架一组的轰炸机得意地在空中翻飞，他们投过了炸弹还投下传单（我想除开日本人谁也不能想出来再愚笨的方法吧？），一颗炸弹会毁坏多少幢构造简单的房屋呢？而烧夷弹引起来的火不能制止地蔓延着……

因为受了后路攻击的威胁，浦东方面的守军也早已奉命撤退了，在不停地试探之后，日本人过了两天才上陆，于是在向了南市的黄浦江的东面，日本人安置了炮位，更直接地向南市轰击……

到晚上我和B君在路上行走，南面的火光照亮了天，在街路中，也集了不少的难民。他们有的是从浦东来的，有的是从南市来的。他们一定还不曾进饮食，而天又是黑下来了，他们也许更忧心地想到，又要在街头露宿一晚吧？

人很多，坐在自己小小的箱箧行李上；可是他们没有怨言。我们缓缓地从他们中间走过来。

昨天我写得很晚才停下笔，原想今天早晨寄出，可是到今晨得到南市守军也撤退的信息，我不得不再加上一段。昨天下午我就听人说过有一部中国兵走进租界里来，他们已经没有其他的路可走，不得不放下随身的武器，有的竟孩子般地哭起来。可是枪炮声到此刻仍然响着，尤其是机关枪，像狂了似的叫吼。听说还有一部勇敢的士兵扼守在南市的江边，虽然日本人的炮火从四面八方打来，他们毫不为动，他们也是准备来流最后的一滴血。

××，难道我们真的就因为中国军从上海四郊撤退而伤心么？不，不，至少我们应该有坚强的信心：日本是不能征服我们的。我们不会停手，这也不是战争的结尾。这只是一个开端。想想只是这样的一个“开端”，敌人已经化去多少人力、财力，就可以想到想来征服全中国他们还要加上多少血本，即使他们是一直胜利的话。若是他们不能把我们斩尽杀绝，我想我们总有一天我们也把血涂在他们的国土上！

我还不想离开这里，我以为凡是居留在上海的人都不应该离开，我们该等待敌人狼狈的败退……

上海许久不听枪炮声了，人心在沉下去一次之后又坚定了，深深地明了在抗战的过程中这是必经的阶段。虽然是沉着，可是走在街上也觉得脸上毫无光彩，我们都在等候，等候我们的克复。

中夜偶然听见几声枪，快乐突地袭上心头，就更安静谛听。那只是稀稀疏疏的几声，也许就再也听不见了。但是人们的热望并不因此冷下去，深信总有那么一天的。

自从国军退出上海后，上海的情形变了样，抗日的标语和小册子都没有了，即是报纸也受了工部局的劝告改变态度。有几家报纸停刊了，那几家不停刊的也把敌军的字样改成日军。日本人照例是疯狂般地发出一切要求，而那绅士型的外国当局，都很文雅地接受了。其实我以为，像租界这畸形的状态，早该消灭了。我们情愿都化成灰烬，再交给敌人。

由于来源的缺乏，菜蔬、米粮的价格都飞涨。天又冷下来，站在民国路街头的难民还有。曾飞了一次雪珠，冬衣也上身了，晚间走回住所，觉得难耐的寒冷，可是路旁檐下，有许多无家可归的难民。他们蜷缩在那里，有的盖了一张薄被，有的只盖了一面草席。我记得他们这些在日间多半都只得羞缩地向行人伸出手，说了些不在行的话，请求别人去施予。天却是渐渐地冷下去了，难民的数目也更增加了……

南市总是在燃烧，恐怕不久就什么都烧光了，就是那四行货栈，自从我们的五百个人退出以后，也烧了几次。我想，这是敌人无谓的泄愤的举动。

这些天我们也在盼望着我们的飞机，可是总也不见来，为什么呢？也许因为战线的移动便不必来了么？可是我们所要看的只是寒月下的一点机影，和敌人仓皇的枪炮。这将鼓起我们的兴致！因为终日所看到的，无非都是大队的敌机的出发或是归来。

战事的将来如何？是很难说的，但是我坚信中国绝不会亡在日本的手里，我想每个人都该这样想。

靳以

三联经典文库第二辑简目

《游击战教程》　明凡 / 著

《游击战术纲要》　陶剑青 / 编著

《汪精卫卖国的理论与实践》　钱俊瑞 / 著

《抗战以来》　韬奋 / 著

《陕行纪实》　楚云 / 著

《随军散记》　沙汀 / 著

《被日寇囚系半载记》　王研石 / 著

《倭营历险记》　房沧浪等 / 著

《活跃的新西北》　田影 / 编著

《保卫华北的游击战》　刘清扬　陈北鸥等 / 著

《徐州突围》　《徐州突围》编委会 / 编

《沦亡的平津》　长江　小方等 / 著

《淞沪火线上》　胡兰畦等 / 著

《瞻回东战场》　长江　罗平等 / 著

《东线的撤退》　胡兰畦等 / 著

《抗战中的西北》　徐盈 / 著

《鲁闽风云》　徐盈等 / 著

《西线生活》　西北战地服务团集体创作

《中国解放区见闻》　［美］福尔曼著 / 朱进译

《全面抗战论》　潘汉年 / 著

《日本的间谍》　范士白自述 / 尊闻译

《日本大陆政策的真面目》　国难资料编辑社 / 编

《民众动员论》　李公朴 / 著

《中国外交史》　钱亦石 / 编著

《太平洋军事地理》　蒋震华 / 著

《世界经济地理讲话》　思慕 / 著

《列强军力论》　［德］马克斯 · 威纳尔著 / 宾符　仲持　梅益等译

《近代国际关系史》　张铁生 / 著

《太平洋现势手册》　沈志远　石啸冲 / 编著

《近代世界政治史》　钱亦石 / 著

《从战争到和平——一九四五年的世界政治》　乔木 / 著

《战后日本问题》　思慕 / 著

《最近一年间的国际动态（1946.7—1947.6）》　《东北日报》社 / 编

《论政党》　翟放 / 著

《法与宪法》　韩幽桐 / 编著

《中华民国宪法刍议》　罗家衡 / 著

《民主 · 宪法 · 人权——作之民》　费孝通 / 著

《宪法论初步》　潘念之 / 著

《对反民主的抗争》　韬奋 / 著

《农村改进的理论与实际》　江恒源 / 著

《上海产业与上海职工》（上下）　　朱邦兴　胡林阁　徐声 / 合编

《陶行知教育论文选辑》　　陶行知著 / 方与严编

《中国通货膨胀论》　　杨培新 / 著

《中国及其未完成的革命》　　H・普拉特著 / 蒋天佐译

《中国的建设问题与人的训练》　　卢作孚 / 著

《论中国特殊性及其他》　　艾思奇 / 著

《中国经济问题讲话》　　钱俊瑞　徐雪寒　王渔邨　姜君辰　骆耕漠 / 合著

《中国经济的道路》　　许涤新 / 著

《中国财政之病态及其批判》　　孙怀仁 / 著

《官僚资本论》　　许涤新 / 著

《五四运动之史的评价》　　陈端志 / 著

《中国通史简编》（上下）　　中国历史研究会　范文澜 / 主编

《论文学的工农兵方向——读〈在延安文艺座谈会上的讲话〉》　雪苇 / 著

《中国近代史（上编　第一分册）》　　武波 / 编著

《文学百题》　　傅东华 / 编

《中国史学之进化》　　周谷城 / 著

《论民族形式问题》　　胡风 / 著

《论批评》　　荃麟等 / 著

《中国史纲》（第一卷上下、第二卷上下）　　翦伯赞 / 著

《近代中国思想学说史》（1–4）　　侯外庐 / 著

《中国政治思想史》（上下）　吕振羽 / 著

《中国哲学史纲要》　向林冰 / 著

《中国政治史讲话》　钱亦石 / 著

《中国社会经济史纲》　王渔邨 / 著

《新财政学大纲》　千家驹 / 著

《太平天国革命运动论文集——金田起义百周年纪念》

华北大学历史研究室 / 编

《理性与自由——文化思想批评论文集》　胡绳 / 著

《战斗者的诗人》　黄药眠 / 著

《国语文法》　曹朴 / 著

《教育哲学》　张栗原 / 著

《妇女问题讲话》　杜君慧 / 著

《婚姻 · 子女 · 继承》　沙千里 / 著

《性教育新论》　布士克　雅各生合著 / 董秋斯译

《狱中杂感》　杜重远 / 著

《七人之狱》　沙千里 / 著

《爱迪生传》　伍况甫 / 译

《歌德自传》（上下）　歌德著 / 思慕译

《尼赫鲁自传》　［印度］尼赫鲁著 / 毕来译

《列宁传》　［苏］凯尔任采夫著 / 企程　朔望译

《罗斯福总统传》　C. Mackenzie 著 / 张尚之译

《托尔斯泰传》（1–3）　［英］阿尔麦 · 莫德著 / 徐迟译

《革命文豪高尔基》　［美］亚历山大·康恩著 / 韬奋编译

《鲁迅纪念特辑》　新中国文艺社 / 编

《回忆鲁迅先生》　萧红 / 著

《人民文豪鲁迅》　平心 / 著

《亡友鲁迅印象记》　许寿裳 / 著

《鲁迅思想研究》　何干之 / 著

《鲁迅研究》　夏征农 / 编

《过来的时代：鲁迅论及其他》　雪峰 / 著

《电影戏剧表演术》　洪深 / 著

《日常心理漫谈》　［美］约瑟夫·查斯特罗著 / 曾宝葹译

《心理常识漫话》　朱智贤　杨云美 / 著

《读书的方法与经验》　王任叔 / 著

《美国黑人生活纪实》　［美］加德维尔　斯坦倍克著 / 董秋斯译

《初访美国》　费孝通 / 著

《事业与成功》　［美］马尔腾著 / 汪原放译

《萍踪寄语（初集）》　韬奋 / 著

《一生的幸福前途——〈生活周刊〉信箱选集》　生活书店 / 编选

《深刻的印象》　生活周刊社 / 编

《海外的感受》　生活书店编译所 / 编

ISBN 978-7-108-04647-5
9 787108 046475 >
定价：14.00元